I

Il pleut !

« Q<small>UEL TEMPS</small> fait-il ce matin ? » dit Oui-Oui, le petit bonhomme en bois, en se levant.

Il courut à sa fenêtre.

« Oh ! Il pleut ! Ma voiture ne va pas être contente. Elle qui n'aime pas se mouiller les roues ! »

Oui-Oui se dépêcha de s'habil-
ler. Et, pour se donner du cou-
rage, il inventa une chanson :

La pluie ça mouille,
Ça chatouille,
Quand ça vous coule dans le cou.
Mais tant pis,
C'est tellement joli !
J'aime bien la pluie, après tout.

« Tut ! Tut ! » klaxonna l'auto,
du fond de son garage. C'était sa
façon à elle d'applaudir.

« Je prends mon petit déjeuner

et j'arrive, répondit le pantin. Nous allons avoir du travail aujourd'hui. »

Oui-Oui était chauffeur de taxi à Miniville, la capitale du Pays des Jouets. Et il savait que, les jours de pluie, les gens sont pressés de rentrer chez eux.

« Où est donc la confiture ? Ah ! La voici. Dans la soupière ! »

Oui-Oui prit un bon petit déjeuner. Puis il enfila son imperméable et sortit.

« Il pleut des cordes ! Dommage que ma voiture n'ait pas de

capote. Les clients n'aiment pas être mouillés. Si j'allais emprunter le parapluie de Potiron ? »

Potiron, le nain, était le meilleur ami de Oui-Oui. Il habitait dans un gros champignon, au milieu des bois.

Le taxi prit donc le chemin de la forêt. En route, il rencontra Léonie Laquille qui emmenait ses enfants à l'école ; puis M. Culbuto qui se dandinait gaiement de flaque en flaque.

« Bonjour, Oui-Oui, dit

M. Culbuto. Je suis vraiment content de ne pas avoir de pieds. Au moins, les jours de pluie, je ne risque pas de les mouiller ! »

A un carrefour, le gendarme réglait la circulation. Il était trempé et n'avait pas l'air de bonne humeur.

« Comment allez-vous ? s'écria Oui-Oui. Beau temps pour les canards, n'est-ce pas ?

— Je ne suis pas un canard ! grommela le gendarme. Ah ! C'est bien ma chance. Aujourd'hui, justement, il faut que je

reste dehors : il va y avoir beaucoup de circulation. »

Oui-Oui regarda autour de
lui.

« Je ne vois que M. Culbuto,
et Mme Noé qui s'en va au marché
avec sa girafe et son lion. Il lui en
faut un grand parapluie pour les
abriter ! Qu'est-ce que ce serait si
elle emmenait avec elle tous les
animaux de l'Arche !

— Circule, Oui-Oui ! ordonna
le gendarme. Mais sois prudent.
Un cirque doit passer par Miniville, ce matin. Il vient de Souris-

ville et va s'installer à Toutou-
ville.

— Un cirque ! s'écria le pantin,
ravi. J'espère que je le rencontre-
rai. Dommage qu'il ne s'arrête pas
ici. Quelle route va-t-il prendre ?

— Circule et laisse-moi tran-
quille. Ça, alors ! Voilà encore
Mme Cancan et ses enfants ! C'est
la troisième fois que je les vois en
une heure. A croire qu'ils aiment
la pluie ! Regarde-les patauger.

— Je vous disais que c'était un
temps pour les canards, répliqua
Oui-Oui. Bonjour, madame Can-

« *Bonjour, madame Cancan* ».

can. Vous avez oublié votre parapluie !

— Circule, Oui-Oui ! cria le gendarme. Va raconter tes bêtises ailleurs. Et prends garde ! Le cirque passera du côté de chez Potiron. La route est étroite par là-bas.

— Je vais à sa rencontre, décida le pantin. De toute façon, j'ai besoin de voir Potiron. »

Et il démarra comme une flèche.

Il était presque arrivé chez son ami quand il entendit, derrière

lui, un grand bruit de roues.

« C'est le cirque. Je gare ma voiture sous un arbre et je le regarde passer. Il y aura sûrement des lions et des tigres; peut-être aussi un clown. Si la pluie pouvait cesser... j'ai de l'eau qui me dégouline dans le cou. »

Heureusement que Oui-Oui avait rangé sa voiture! La caravane prenait toute la largeur de la route.

« Oh! la belle roulotte jaune! s'écria le pantin. C'est un clown qui la conduit. Bonjour! »

Mais le clown était trempé et n'avait pas envie de rire. Il ne tourna même pas la tête.

« Voilà les cages! reprit Oui-Oui. Où sont les lions? »

Hélas! Les cages étaient fermées, à cause de la pluie. Et personne ne fit attention à Oui-

Oui. Le pantin était très déçu.

Déjà la dernière roulotte passait. Soudain, Oui-Oui vit la porte
de derrière s'ouvrir. Il entendit
un hurlement. Et quelqu'un
tomba sur la chaussée. Plaf! En
plein dans une flaque d'eau.

« Attendez - moi ! Attendez -
moi ! »

Mais la dernière roulotte avait
disparu à un tournant de la route.

« Au secours ! Je me suis cassé
la jambe ! »

Le lapinzé

OUI-OUI sauta de sa voiture.

« Qui es-tu? Tu en as une drôle de tête!

— Je suis un lapinzé. Moitié lapin, moitié chimpanzé. Tu vois mes longues oreilles?

— Oui, répliqua le pantin, stupéfait. Mais je n'ai jamais rencontré de lapinzé de ma vie. Tu es vraiment bizarre. As-tu mal quelque part ?

— Très, très mal. J'ai dû me casser la jambe en tombant. Peux-tu m'aider ?

— Bien sûr. Monte dans ma voiture. Nous allons essayer de rattraper les gens du cirque.

— Non ! s'écria le lapinzé. Je ne veux pas retourner avec eux. Ils sont méchants. »

Deux grosses larmes roulèrent

« *J'ai dû me casser la jambe en tombant* ».

sur ses joues, et ses oreilles se mirent à trembler.

« Ils ne me donnent pas assez à manger. Ils me laissent les travaux les plus durs. Ils ne m'ont même pas attendu quand je suis tombé de la roulotte. Bouh ! ouh ! Personne ne m'aime ! »

Oui-Oui eut pitié du lapinzé. Il le prit par le bras et l'aida à se relever.

« Je ne crois pas que tu aies la jambe cassée. Viens dans ma voiture. Je vais t'emmener chez mon ami Potiron. Il habite près d'ici.

Il te donnera des gâteaux secs et du cacao. Et nous ferons sécher tes habits. Mon pauvre! Tu es tombé dans la plus grosse flaque de la forêt! »

Le lapinzé clopina jusqu'au taxi et se hissa sur le siège avant.

C'était vraiment un drôle d'animal. Il portait un chapeau de paille qui lui descendait jusque sur les yeux. Ses oreilles passaient par deux trous, sur les côtés du chapeau, et se dressaient, toutes droites, au-dessus de sa tête.

Le lapinzé trouva la petite voiture très jolie.

« Il y a des gens qui ont de la chance ! Une belle auto comme cela ! Ouïe ! Ma jambe ! Tu es gentil avec moi. Comment t'appelles-tu ?

— Oui - Oui », répondit le pantin.

Sa tête à ressort remua de haut en bas comme pour dire : « oui ! oui ! » et le grelot de son bonnet tinta.

« En route ! Cramponne-toi bien ! »

Quand ils arrivèrent devant la maison de Potiron, Oui-Oui donna deux coups de klaxon. Aussitôt, le nain apparut sur le pas de sa porte.

« Qu'est-ce que c'est que ça ? s'écria-t-il en montrant le lapinzé.

— C'est un lapinzé, expliqua le pantin. Tu n'as jamais entendu parler de ces bêtes-là? Moi qui croyais que tu connaissais tout! »

Potiron écarquilla les yeux.

« Ma foi! J'ai presque cent ans. Et jamais je n'ai vu cela! Une tête de chimpanzé... des oreilles de lapin... Qu'est-ce qu'il fabrique dans ta voiture? »

Oui-Oui raconta ce qui était arrivé. Puis il prit le lapinzé par le bras et l'aida à entrer dans la maison.

Moustache, le chat de Potiron,

était couché au coin du feu. Quand il vit arriver le lapinzé, il bondit sur ses pattes et s'enfuit en miaulant.

Le lapinzé soupira :

« Je fais fuir même les chats !

— Mon pauvre ! dit Oui-Oui.

Assieds-toi. Potiron, peux-tu lui
donner quelque chose à manger ? »

Le nain alla chercher des
gâteaux secs et prépara du cacao.
Le lapinzé dévora les gâteaux avec
entrain. Et, bientôt, il se sentit
mieux.

« Les gens du cirque ont vraiment été méchants avec lui ! s'exclama Oui-Oui. Ils ne se sont même pas arrêtés pour le relever. Potiron, pourrais-tu le loger jusqu'à ce que sa jambe soit guérie ?

— J'ai peur que non, répliqua le nain.

— Pourquoi ? Tu as de la place chez toi.

— C'est que... Moustache ne serait pas content », avoua Potiron.

A ces mots, le lapinzé se leva et clopina vers la porte.

« Je ne resterai pas une minute de plus, puisque j'effraie votre chat. Je vais m'en aller sous la pluie. Tant pis si je suis mouillé. Je n'ai pas de maison. Je ne sais pas où coucher. Mais je pars. Adieu ! »

Oui-Oui courut après lui.

« Viens habiter avec moi, dans ma « petite - maison - pour - moi - tout-seul ». Je prendrai soin de toi, jusqu'à ce que tu sois guéri. Potiron n'est pas méchant, il ne faut pas lui garder rancune : il aime tant son chat ! »

Le lapinzé ne voulait rien entendre. Il sortit, sous la pluie, en boitillant plus que jamais.

Oui-Oui s'élança derrière lui et l'attrapa par la manche.

« Monte dans ma voiture. Je t'emmène chez moi. Les Bouboule seront gentils avec toi.

Mirou, l'oursonne, aussi. Tu verras, tu seras heureux avec nous.

— Merci ! Merci ! »

Le lapinzé serra Oui-Oui dans ses bras.

« Jamais personne n'a été aussi bon pour moi. Je te revaudrai cela, je te le promets. »

Dès qu'il fut dans la voiture, le lapinzé retrouva sa bonne humeur.

« Quelle belle auto ! criait-il. Et comme tu conduis bien ! »

Le pantin était ravi. Il dévala la grand-rue à cent à l'heure.

« Eh ! doucement ! hurla le gen-

darme. Qu'est-ce qui te prend ?
Et quelle est cette drôle de bête ?

— C'est un lapinzé, répondit
Oui-Oui, très fier. Il vient habiter
chez moi.

— Un lapinzé ? Bizarre...
bizarre... grommela le gendarme.
Ah ! J'ai compris ! Des oreilles de
lapin, une tête de chimpanzé.
Lapin... chimpanzé... lapinzé. Je
suis quand même malin ! Mais où
Oui-Oui a-t-il été chercher ça ? »

III

Merci, Oui-Oui !

L E LAPINZÉ trouva la maison de
Oui-Oui très jolie. Il s'assit
sur une chaise et regarda autour
de lui.

« Une maison ! Une voiture !

Tu en as, de la chance ! Ce n'est pas comme moi. Mais tu le mérites. Tu es le plus gentil pantin que j'aie jamais rencontré.

« C'est vrai ? » s'écria Oui-Oui, flatté.

Sa tête remua si fort que le grelot de son bonnet faillit se décrocher.

« Oui, le plus gentil, et le plus adroit. Tu as une façon de conduire... extraordinaire. Je ne comprends pas pourquoi le gendarme s'est mis en colère contre toi.

— Ça lui arrive souvent, expliqua Oui-Oui en enlevant son imperméable. Il n'a pas l'air de trouver que je conduis bien.

— S'il te gronde encore... il aura affaire à moi.

— Merci. Mais, tu sais, il n'est pas vraiment méchant. Bon... Enlève tes habits. Je vais les mettre à sécher. Et je te prêterai ma robe de chambre. »

Un instant plus tard, les vêtements du lapinzé étaient pendus, tout fumants, devant la cheminée. Le lapinzé enfila la robe de

chambre de Oui-Oui, puis il s'assit.
Et il commença à parler, à parler... Il raconta à Oui-Oui sa vie
au cirque. Le pantin aurait pu
rester là, des heures, à l'écouter.

« J'allais oublier ta jambe, dit-il
enfin. Montre-la-moi. Je vais la
frictionner. Et, cette nuit, tu

dormiras dans mon lit. Moi, je m'étendrai sur le fauteuil.

— Pas question ! répliqua le lapinzé. C'est moi qui coucherai dans le fauteuil. Tu es vraiment trop gentil. Quand ma jambe sera guérie, je travaillerai pour toi. Je nettoierai ta maison du sol au

plafond, je préparerai tes déjeu-
ners, je laverai ta voiture, je
bêcherai ton jardin, j'irai au
marché, je...

— Oh! là! là! Je ne t'en
demande pas tant ! s'écria Oui-Oui,
stupéfait. Toi aussi, tu es gentil.
Je suis content de t'avoir amené
chez moi.

— J'ai tellement envie de te
remercier ! Tu n'auras qu'à m'expliquer ce que tu veux. Et puis,
je travaillerai pour tes amis. »

La jambe du lapinzé fut vite
guérie. Le lendemain, il marchait

normalement et semblait de fort bonne humeur.

« Je vais nettoyer la maison. Tu peux t'en aller, Oui-Oui. Non ! Attends que je lave ta voiture. »

Le lapinzé se mit au travail. Et quel travail ! Bientôt, la voiture brillait comme de l'or. Mirou, l'oursonne, qui passait par là, en fut tout éblouie.

« Je te présente le lapinzé », lui dit Oui-Oui.

Et il raconta l'histoire de son nouvel ami.

Le lapinzé s'inclina poliment.

« Bonjour, mademoiselle. Oui-Oui a été très bon pour moi. Je ne connais personne au monde d'aussi gentil que lui.

— Moi non plus », répliqua Mirou.

Et elle lui adressa un si char-

mant sourire que le lapinzé fut aussitôt conquis.

« Vous êtes une amie de Oui-Oui. Dites-moi ce que vous désirez. Je le ferai. »

Mirou éclata de rire.

« Je n'ai besoin de rien. Ah !

si. Peut-être. J'aimerais qu'il y ait un bec de gaz, devant chez nous. Mon oncle se cogne toujours contre les arbres, quand il rentre, le soir.

— Bien... bien... »

Le lapinzé recommença à astiquer les phares avec ardeur.

Puis Mirou et Oui-Oui montèrent en voiture.

« Au revoir, lapinzé ! cria Oui-Oui. Je rentrerai pour le dîner. »

Et il démarra.

« Je préparerai le repas »,
répondit le lapinzé.

Là-dessus, il s'en alla bêcher le
jardin.

« Il est gentil, n'est-ce pas ?
s'exclama Oui-Oui.

— Je l'aime beaucoup, répliqua Mirou. Parce qu'il dit du bien
de toi. Pauvre lapinzé ! Ce doit
être terrible pour lui d'être seul,
abandonné. Le cirque est loin,
à présent. Lapinzé... c'est vraiment un nom bizarre. »

Oui-Oui se mit à rire et entonna
une chanson :

Lapin, lapin, lapinzé,
Pourquoi la?
Pourquoi pin?
On pourrait aussi bien l'appeler
Lapanzé ou chapinzé!

« Bravo! s'écria Mirou. Quelle drôle de petite chanson! »

Ce soir-là, quand Oui-Oui rentra chez lui, il eut une bonne surprise : le dîner était prêt, la maison rangée, le jardin bêché.

« J'ai gagné beaucoup d'argent, aujourd'hui, dit-il au lapinzé. Je

Il eut une bonne surprise.

veux t'en donner une partie, pour te remercier.

— Pas question. Tu es mon ami. J'ai travaillé pour te faire plaisir. Je ne te demande qu'une chose : apprends-moi à conduire.

— Entendu. Nous commencerons après le dîner. »

Ainsi donc, ce soir-là, Oui-Oui donna au lapinzé une leçon de conduite. Le lapinzé se montra très bon élève.

— Si nous allions nous promener dans la ville ? » proposa-t-il.

Oui-Oui secoua la tête.

« Non, le gendarme pourrait te voir.

— Alors laisse-moi prendre l'auto cette nuit, quand tout le monde sera couché.

— Si tu veux. Mais promets-moi de rentrer vite ! Et, surtout, sois prudent ! »

IV

Voilà Zim !

CETTE NUIT-LA, le lapinzé atten-
dit que Oui-Oui fût endormi.
Puis il se glissa dehors, monta
dans le taxi et démarra...

Une demi-heure plus tard, il

était de retour. Il rangea la voiture au garage et rentra se coucher
dans son fauteuil.

« Cher Oui-Oui ! murmura-t-il.
Il dort à poings fermés. C'est
demain qu'il va être étonné ! »

Pour ça, oui ! Le pantin fut très
étonné : il était en train de
prendre son petit déjeuner, quand
le gendarme frappa à la porte.

« Entrez ! cria Oui-Oui.

— Bonjour ! fit le gendarme.
Où sont passés les becs de
gaz ?

— Quels becs de gaz ? s'exclama Oui-Oui. Je ne suis pas au courant.

— On en a volé quatre, la nuit dernière, reprit le gendarme. L'un d'eux devant ma grille. Un autre devant celle de Mlle Chatounette. Or, chacun de nous a entendu une voiture s'arrêter devant chez lui.

— Ce n'était sûrement pas la mienne, déclara le pantin. Je ne suis pas sorti de la nuit. Allez-vous-en, monsieur le gendarme.

— C'est cela, partez ! ajouta le lapinzé, avec colère. Je vous

défends de parler sur ce ton à
Oui-Oui.

— Encore toi! s'écria le gendarme. Je t'ai déjà vu, hier matin,
dans l'auto de Oui-Oui. Moitié
lapin, moitié singe! Hum! Je
n'aime ni les singes ni les « moitié
singe ».

— Et moi je n'aime pas les
gendarmes, répliqua le lapinzé.
Allez-vous-en! Oui-Oui est mon
meilleur ami.

— J'en doute, répondit le gendarme d'un air pincé. Et, qui plus
est, je... »

Quelqu'un entra dans le jardin en courant.

Au même moment, quelqu'un entra dans le jardin en courant. C'était Mirou.

« Oui-Oui ! Oui-Oui ! Devine ce que j'ai trouvé, ce matin, devant chez moi. Quatre becs de gaz ! Oh ! Bonjour, monsieur le gendarme. Je ne vous avais pas vu.

— Tiens ! Tiens ! Voilà donc où sont passés mes becs de gaz. Ils ne sont pas allés là-bas tout seuls, je suppose. Je vais y faire un tour. Oui-Oui, tu entendras reparler de cette affaire ! »

Et le gendarme partit, furieux.

« Méchant bonhomme ! s'écria le lapinzé. Je me suis retenu pour ne pas lui chiper son bicorne. Pourquoi Mirou n'aurait-elle pas le droit d'avoir des becs de gaz devant chez elle ?

— La... lapinzé ! bégaya Oui-Oui. Ce n'est pas toi qui...

— Il faut que j'aille laver ta voiture », coupa le lapinzé.

Et il partit, comme une flèche. Oui-Oui regarda Mirou et éclata de rire.

« C'est lui... il a transporté les becs de gaz dans ma voiture, la

nuit dernière. Et il les a installés devant chez toi. Pour te faire plaisir... parce que tu es mon amie. »

Oui-Oui et Mirou sortirent dans le jardin.

« Le gendarme n'a pas l'air de bonne humeur, ce matin ! leur

cria M. Bouboule, le voisin.
Tiens ! Qu'est-ce que c'est que ce
drôle d'animal ?

— C'est un lapinzé. Il habite
avec moi, répondit le pantin.

— Oui-Oui a été très bon pour
moi, intervint le lapinzé. Excusez-
moi, monsieur. Je ne peux pas
vous serrer la patte : je suis en
train de laver la voiture et j'ai
les quatre mains mouillées. »

L'ours resta stupéfait.

« Je ferais n'importe quoi pour
Oui-Oui, reprit le lapinzé. Et,
si vous êtes son ami, je ferai

n'importe quoi pour vous.

— C'est bien aimable de votre part. Attention! Voilà le chien Zim! »

Au même moment, Zim bondit gaiement sur Oui-Oui. Boum! Le pantin se retrouva assis dans une plate-bande.

« Couché! Zim! Couché! » cria-t-il.

Aussitôt, le lapinzé, ramassant une poignée de terre, la jeta sur Zim.

« Va-t'en! Je te défends de toucher à Oui-Oui! »

Zim s'arrêta, surpris. Puis il se retourna, d'un bond.

« Ne lui lance pas de terre ! s'écria Oui-Oui, en se relevant. C'est le chien de Mirou. C'est mon ami.

— Ton ami ! Sûrement pas ! Il

t'a renversé. Attends, je vais
l'attraper. »

Et le lapinzé s'élança vers Zim.

« Arrête ! » hurla Oui-Oui.

Mais une grande bataille s'était
engagée entre Zim et le lapinzé.

« Mes rosiers ! Mes jolies
pivoines ! Oh ! Mon beau petit
jardin ! gémissait Oui-Oui. Ils vont
tout saccager. Zim, viens ici !

— Viens ici ! » reprit M. Bouboule.

Zim n'écoutait pas.

« Qu'est-ce que c'est que ce
drôle d'animal ? pensait-il. Il ne

me plaît pas. Si je pouvais le
mordre ! »

Enfin, Oui-Oui parvint à attraper Zim. Et il lui donna une
bonne claque. Le chien n'y com-
prenait rien.

« Regarde mon jardin ! criait
Oui-Oui. Tu es un méchant chien !
Et le lapinzé est aussi méchant
que toi ! »

Zim s'enfuit dans un coin,
s'assit sur sa queue, et commença
à gémir. Quant au lapinzé, il
regarda Oui-Oui d'un air de
reproche.

« Moi qui voulais te protéger contre ce monstre ! Il t'a renversé. Il allait te mordre. Pourquoi ce gros monsieur ne l'a-t-il pas rappelé ? ajouta-t-il en montrant M. Bouboule.

— Je l'ai appelé, répliqua M. Bouboule. Mais il ne m'a pas

écouté. Les chiens ne s'occupent jamais de ce que je dis : ils ne m'obéissent pas, ils ne viennent pas quand je les siffle. Pourtant, je les aime bien. Oh ! là ! là ! Quel saccage. Les fleurs sont écrasées, le banc est cassé. Pauvre Oui-Oui ! Et moi qui n'ai pas pu empêcher cela !... les chiens ne m'obéissent jamais. »

Mirou fondit en larmes. Aussitôt, Oui-Oui, Zim et le lapinzé se précipitèrent pour la consoler. Et le lapinzé se mit, lui aussi, à sangloter.

« Ne pleure pas, Mirou. Je voulais seulement défendre Oui-Oui. Je suis désolé. Pardonne-moi, Oui-Oui, je t'en prie. Je te referai un beau jardin. Pardonne-moi, Zim. Je ne suis pas méchant, tu sais.

— Vous avez été aussi bêtes l'un que l'autre ! s'écria Oui-Oui. Ah ! vous pouvez être fiers de vous ! »

V

Une surprise pour M. Bouboule !

« JE VAIS TRAVAILLER, décida Oui-Oui. Il faut que je gagne beaucoup d'argent pour racheter des fleurs et un banc. Viens, Mirou. Je t'emmène avec moi. »

Quand les deux amis furent partis, M. Bouboule rentra chez lui.

« Un lapinzé, grommelait-il. Je vous demande un peu... Plus effronté qu'un lapin, plus sot qu'un chimpanzé ! »

Le lapinzé resta donc seul. Pendant longtemps, il regarda les fleurs cassées en poussant de gros soupirs.

Soudain, il saisit la bêche de Oui-Oui et s'en alla, au pas de course.

Un quart d'heure plus tard, il

était de retour, les bras chargés
de fleurs : des roses, des margue-
rites, des pivoines, toutes plus
belles les unes que les autres.

Il les planta, les arrosa.

Puis il repartit, et revint bientôt, portant sur ses épaules un
énorme banc.

Il le déposa dans l'allée, dispa-
rut de nouveau, et reparut avec...
un autre banc.

Ma foi ! Le jardin de Oui-Oui
commençait à être encombré.

« Parfait ! s'écria le lapinzé. Je
crois que j'ai réparé mes bêtises.

Que pourrais-je faire pour
M. Bouboule ? »

Il jeta un coup d'œil dans le
jardin voisin. Celui-ci était magni-
fique. Et la cabane à outils ? Peut-
être avait-elle besoin d'être
nettoyée ?

Le lapinzé sauta le mur du jar-

din et entra dans la cabane.
Hélas ! Tout y était propre, bien
rangé. Ah, non ! Les bottes de
M. Bouboule étaient couvertes de
boue.

« Je les emporte chez Oui-Oui
pour les nettoyer », décida le
lapinzé.

Il se mit au travail avec ardeur. Tout en frottant, il pensait à M. Bouboule. Le pauvre ! Il était triste parce que les chiens ne venaient pas quand il les appelait.

« Je vais remédier à ça », pensa le lapinzé.

Il se leva d'un bond.

« Il me faudrait de la sauce. »

Le lapinzé alla fouiller dans le garde-manger de Oui-Oui. Il y trouva un bol, plein d'une sauce odorante.

Alors, il trempa son chiffon

dans la sauce, et en étala une bonne couche sur les bottes.

« Vous allez voir, monsieur Bouboule », dit-il avec un grand sourire.

Et ses longues oreilles se tortillèrent de joie.

« Tous les chiens du pays vous suivront, à présent. »

Le lapinzé alla ranger les bottes dans la cabane à outils. Puis il revint s'asseoir sur un des nouveaux bancs de Oui-Oui.

« Le gendarme a été très méchant avec Oui-Oui. Je lui

apprendrai à être plus aimable. Quelle histoire il a faite pour quatre malheureux becs de gaz ! Bien sûr, quatre, c'était peut-être trop. J'aurais dû n'en prendre qu'un. »

A cet instant, M. Bouboule sor-

tit de chez lui et se dirigea vers
la cabane à outils.

« Il va en avoir une bonne
surprise ! pensa le lapinzé. Hep !
Monsieur Bouboule ! Je vous ai
nettoyé vos bottes.

— Merci ! s'écria l'ours, étonné.

J'allais justement les chercher. »

Il s'approcha du mur et regarda le jardin de Oui-Oui d'un air ébahi.

« Qu'est-il arrivé ? Qui a planté ces fleurs ? Qui a apporté ces bancs ?

— C'est moi, répondit le lapinzé. J'espère que Oui-Oui me pardonnera mes bêtises. Maintenant, je vais casser le vieux banc et en faire du bois pour le feu. Oui-Oui sera content, n'est-ce pas ?

— Il me semble qu'il vaudrait

mieux réparer ce banc plutôt que de le démolir. En tout cas, merci pour mes bottes. Je les enfile et je vais au marché. »

Le lapinzé se mit à la recherche d'une hache. Et M. Bouboule partit pour le marché.

Le pauvre ! Il ne savait pas ce qui l'attendait !

En chemin, il rencontra d'abord une amie de Zim. C'était une petite caniche qui se promenait toujours avec un air dédaigneux. Il la siffla, certain qu'elle allait détaler, comme d'habitude. Mais non ! La chienne dressa les oreilles, leva la truffe et, soudain, se précipita vers M. Bouboule en remuant la queue. Elle renifla ses bottes avec délice.

« Joli toutou ! s'écria M. Bouboule. Alors, tu veux être mon amie, ce matin ? »

Au même moment, arrivèrent deux autres chiens, la truffe au vent. Ils se dirigèrent droit sur M. Bouboule et commencèrent à lécher ses bottes.

« Braves bêtes ! s'exclama l'ours. Bon... il faut quand

« *Alors, tu veux être mon amie, ce matin?* »

même que j'aille au marché. »

Il repartit, très fier, suivi par les trois chiens.

« Pourvu que je rencontre du monde ! J'en connais qui vont être étonnés ! »

Quelques mètres plus loin, deux autres chiens se précipitèrent sur lui. Sous le choc, M. Bouboule tomba à la renverse.

Aussitôt les cinq chiens l'entourèrent, grondant, se querellant. C'était à qui lécherait le mieux les bottes couvertes de sauce.

M. Bouboule commençait à

avoir peur. Il parvint à se relever
et s'enfuit au pas de course. Mais,
bien sûr, les chiens le suivirent.

Sur son passage, les gens s'arrê-
taient, étonnés. Mlle Chatounette,
effrayée, agita son ombrelle en
criant.

« Laissez-moi, sales bêtes !

haletait M. Bouboule. Oh ! Voilà
Zim ! »

Le pauvre ours dévala la grand-
rue, suivi d'une horde de chiens
qui jappaient, sautaient, aboyaient.

Soudain, il aperçut le gendarme. Il courut vers lui en
hurlant :

« Au secours ! Débarrassez-moi de ces animaux ! »

Le gendarme n'en croyait pas ses yeux. Soudain, Zim fonça sur lui, lui passa entre les jambes et... le gendarme se retrouva assis par terre.

« Allez-vous-en, monsieur Bouboule ! gronda-t-il. Allez-vous-en, avec votre ménagerie. Vous bloquez la circulation. Quelle journée ! Les becs de gaz qui disparaissent, puis les fleurs et les bancs du jardin public. Maintenant, ces chiens. Zim ! Arrête de

me marcher dessus. Oh! J'ai
perdu mon bicorne. Le voilà qui
roule. Zim! Rapporte-le-moi! »

Le rapporter! Pensez-vous!
Zim courut après le bicorne, le
saisit dans sa gueule et s'éloigna
au grand galop.

« C'est un cauchemar ! gémit le gendarme. Monsieur Bouboule, si vous n'emmenez pas ces animaux, immédiatement, je vous arrête. Ma parole ! Tout le monde est devenu fou, aujourd'hui. Même vous ! »

Tut ! Tut ! Au même instant, Oui-Oui apparut, au volant de sa voiture jaune. En un clin d'œil, il vit la scène : le gendarme assis par terre, Zim qui s'enfuyait avec le bicorne et M. Bouboule, entouré d'une douzaine de chiens.

Oui-Oui donna un grand coup de frein.

« Qu'est-ce qui se passe ? » s'écria-t-il.

Mais, au même moment, le gendarme poussa un grondement si terrible que Oui-Oui repartit, comme une flèche, sans demander son reste.

Ah ! Quelle journée !

VI

Lapinzé ou chimpanzé ?

Oui-Oui n'était pas au bout de ses surprises. En arrivant chez lui, il découvrit, avec stupeur, son jardin plein de fleurs.

« Oh ! Les belles roses ! Et ces

pivoines ! Il y a même deux bancs neufs ! Qui a apporté tout cela ?

— Sûrement le lapinzé, répondit Mirou. Il a voulu réparer ses bêtises. Mais... ces bancs viennent du jardin public ! Alors, les fleurs... il a dû les y prendre, aussi. Et où est passé ton vieux banc ?

— J'entends des coups de hache ! s'exclama Oui-Oui. Lapinzé ! Qu'est-ce que tu fabriques ?

— Nous allons avoir du bois pour le feu ! cria le lapinzé. Je

débite ton vieux banc. Je t'en ai apporté deux autres.

— Dis plutôt que tu les a volés, répliqua le pantin d'un ton sévère. Oh ! voilà Zim ! Avec le bicorne du gendarme ! Zim ! Veux-tu lâcher ça ! »

Oui-Oui attrapa le bicorne et le

posa sur le mur du jardin. Le lapinzé le regardait, d'un air triste.

« J'ai demandé au gardien du parc à qui appartenaient ces bancs. Il m'a répondu : « A ceux qui « viennent ici. » Tu vas bien au parc, quelquefois ? Alors, je les ai pris pour toi. Je voulais te faire plaisir. Est-ce que tu veux quelque chose d'autre ?

— Que tu es bête ! gronda le pantin. Tu t'imagines que tu peux tout prendre, tout obtenir. Si je te demandais d'aller me chercher la voiture des pompiers, tu irais ?

Vraiment, je crois que je ne t'aime plus. Tu me causes trop d'ennuis. Maintenant, viens avec moi voir le gendarme. Il faut rendre les bancs et les becs de gaz. Au fait, j'ai rencontré M. Bouboule, poursuivi par une douzaine de chiens. Est-ce que, par hasard, tu serais pour quelque chose dans cette affaire ?

— M. Bouboule avait envie que les chiens le suivent dans la rue », expliqua le lapinzé.

Deux grosses larmes roulèrent le long de son nez.

« Il n'arrêtait pas d'en parler.
Alors, j'ai badigeonné ses bottes
avec de la sauce, et les chiens l'ont
suivi.

— Tu es fou ! » hurla Oui-Oui.

Mirou pouffa de rire.

« Lapinzé, ça ne peut plus

durer. Il faut que tu viennes avec nous chez le gendarme. Allez! Prends le bicorne et suis-nous.

— Non! » cria le lapinzé.

Mais Oui-Oui l'entraîna vers la voiture et l'y fit monter de force.

Mirou grimpa en vitesse. Et les voilà partis!

Le lapinzé hurlait tristement. Zim, très intéressé, courait derrière l'auto.

En chemin, ils rencontrèrent M. Bouboule. Pour échapper aux chiens, le pauvre ours s'était perché sur un bec de gaz.

Oui-Oui arrêta sa voiture devant la gendarmerie. Aussitôt le lapinzé bondit de son siège et s'enfuit, emportant le bicorne.

« Il est fou! s'écria Oui-Oui, furieux. Lapinzé! Où es-tu? Et

puis, tant pis ! Viens, Mirou. Nous
allons tout raconter au gendarme. »

Le gendarme était justement
en train de chercher un vieux
bicorne à se mettre sur la tête.

« Asseyez-vous, dit-il. Quelle
journée ! Il a fallu que je réinstalle

les becs de gaz à leur place, que
je... au fait, où est passé cet
horrible lapinzé?

— Je ne sais pas », avoua Oui-
Oui.

Au même moment, le lapinzé
entra dans la pièce.

« Où est le bicorne du gen-

darme ? »   demanda   Oui-Oui.

Le lapinzé eut un grand sourire.

« Il est allé chercher la voiture
des pompiers... »

Le gendarme poussa un grogne-
ment, se précipita sur le lapinzé
et le saisit par la peau du cou.

« Tu n'es pas un lapinzé. Ces

bêtes-là n'existent pas. Tu es un chimpanzé.

— Mais il a des oreilles de lapin ! » répliqua Oui-Oui.

A ces mots, le gendarme attrapa le chapeau du lapinzé, tira... et les oreilles vinrent avec.

« Elles étaient cousues dessus ! gronda le gendarme. Regardez-le. Est-ce qu'il n'a pas l'air d'un vrai singe, maintenant ? Et je vais vous en apprendre de belles : il n'est pas tombé de la roulotte, comme il vous l'a raconté. On l'a jeté dehors. Parce qu'il ennuyait les gens, avec ses mauvaises farces. J'ai reçu une lettre du directeur du cirque, ce matin. Il voulait me prévenir de ne pas accepter le « lapinzé » à Miniville car... »

Soudain, le gendarme arrêta de parler, fronça le nez.

« Ça sent la fumée. Mais... il y en a partout ! Elle vient de la cheminée. Qu'est-ce qui se passe ? »

VII

Au revoir, lapinzé !

EN EFFET, une épaisse fumée
blanche sortait de la cheminée. Le gendarme courut ouvrir
la fenêtre. Et la rue fut bientôt
pleine de fumée. Oui-Oui et Mirou

jetèrent de l'eau sur le feu. En vain !

« Appelez les pompiers ! » cria quelqu'un, dans la rue.

Le gendarme se pencha à la fenêtre.

« Mais il n'y a pas le feu ! » s'exclama-t-il.

Trop tard ! La voiture des pompiers était déjà en route. Elle dévala la grand-rue dans un bruit de tonnerre et s'arrêta devant la gendarmerie.

Les pompiers descendirent, braquèrent leur jet d'eau vers

l'intérieur de la pièce. Vlouf!...
Mirou, Oui-Oui et le gendarme
se retrouvèrent trempés comme
des soupes.

Le gendarme se précipita
dehors.

« Arrêtez! Il n'y a pas le
feu! »

Oui-Oui regarda le lapinzé.

« Alors, tu as fait venir la voiture des pompiers pour rien...
parce que tu croyais que je te
l'avais demandé... »

Le lapinzé hocha fièrement la
tête.

« Oui. J'espère que tu es
content.

— Comment t'es-tu débrouillé ?

— Sors et jette un coup d'œil
sur le toit », répondit le lapinzé.

Il eut un pauvre petit sourire.

« Je suis monté là-haut, comme
un vrai singe que je suis. Mais

j'ai déchiré mon pantalon. »

Le pantin sortit dans la rue. Et que vit-il ? Sur le haut de la cheminée était posé le bicorne du gendarme.

« Je comprends ! s'exclama Oui-Oui. La fumée ne peut plus sortir, alors elle redescend dans la pièce. Les gens ont cru qu'il y avait le feu.

— Et ils ont appelé les pompiers, ajouta Mirou. Regarde ! C'est plein d'eau ici, maintenant. Il faut aider ce pauvre gendarme à remettre son bureau en état. »

Un pompier monta sur le toit. Il récupéra le bicorne, et la fumée put sortir normalement, par la cheminée.

Oui-Oui et Mirou prirent un balai, des chiffons, et commencèrent à nettoyer la pièce.

Quant au gendarme il essayait de s'expliquer avec les pompiers.

« Mais non... je n'ai pas voulu jouer un mauvais tour. Attendez que j'attrape ce lapinzé... non... chimpanzé. Où est-il ?

— Un chimpanzé ? coupa un des pompiers. Je l'ai vu monter

« *Mais non... je n'ai pas voulu jouer un mauvais tour.* »

dans une petite voiture jaune. Il vient de partir.

— Une voiture jaune ! C'est la mienne ! s'écria Oui-Oui. Oh ! l'affreux singe ! Il m'a volé mon taxi. Il doit être loin à présent.

— Pauvre Oui-Oui ! » soupira Mirou.

Elle le prit doucement par l'épaule.

« Viens. Il faut rentrer chez toi. Tu te changeras. Nous goûterons. Après, tu te sentiras un peu mieux. »

Et les deux amis s'éloignèrent, bras dessus, bras dessous. Le pantin était triste, triste.

Mais, chez lui, une bonne surprise l'attendait. La porte du garage était ouverte. Et, à l'intérieur, il aperçut... sa petite voiture.

« Tut ! Tut ! » fit gaiement l'auto.

Oui-Oui courut vers elle.

« Le lapinzé l'a ramenée. Regarde, Mirou : il a laissé un mot, sur le siège arrière. Je vais te le lire :

Cher Oui-Oui,

J'ai pris ta voiture pour revenir ici. Je t'ai emprunté une vieille veste que tu avais mise à sécher. J'ai emporté aussi un pantalon et un chiffon que M. Bouboule

avait pendus dans son jardin. Le chiffon me servira de cache-nez. Je vous renverrai ces habits dès que possible. Est-ce que tu as été content de la voiture des pompiers? Je suis désolé que tu me croies méchant. Je ne voulais qu'une chose : rendre tout le monde heureux. Gros baisers.

LE LAPINZÉ

Oui-Oui et Mirou se regardèrent.

« Il faisait beaucoup de bêtises, dit l'oursonne. Mais... je ne pouvais m'empêcher de l'aimer.

— Moi aussi, ajouta le pantin. Quand je pense qu'il a fait venir la voiture des pompiers, exprès pour moi. »

Mirou pouffa de rire.

« Tu te rappelles : les bottes de M. Bouboule qu'il avait badigeonnées avec de la sauce ! Et les becs de gaz qu'il avait transportés devant chez moi ! Il était gentil. Mais il avait des idées... des idées de singe.

— Pour moi, il restera toujours le lapinzé, répondit Oui-Oui.

Viens, Mirou. Allons goûter. Nous sommes tranquilles, mais pas pour longtemps. M. Bouboule et le gendarme ne vont pas tarder à arriver. Le bicorne du gendarme, le pantalon de M. Bouboule... nous n'avons pas fini d'entendre parler de notre lapinzé! »

Tout en préparant le goûter, Oui-Oui se mit à fredonner une petite chanson :

Tu avais de drôles d'idées,
Des idées de chimpanzé.
Tu nous as fait rire et pleurer.
Nous ne t'oublierons jamais.

« Et ne te fais pas de souci pour lui, ajouta Mirou. Il retrouvera bientôt un autre cirque où il vivra heureux. Mais lui non plus ne t'oubliera jamais ! »

TABLE

Imprimé en France
par Brodard-Taupin
Imprimeur - Relieur
Coulommiers - Paris
41/1636/2
Dépôt légal n° 6231
1er trimestre 1973.
20.05.3629.03

Vous avez aimé ce livre
voici le moment d'en choisir un autre *

Bibliothèque Rose

(extrait du catalogue)

Les ouvrages dont le titre
est précédé du signe * appartiennent
à la catégorie « Minirose ».

Andersen :

Contes.

Armand (Roberte) :

Les 3N et la maison brûlée
Les 3N et le chien jaune
Les 3N et les voleurs d'images.
Les 3N et l'étrange voisin
Les 3N et les jumelles

Aubry (Cécile) :

Poly.
Poly et son ami Pippo.
Poly et le diamant noir.
Au secours, Poly!
Les vacances de Poly.
Poly à Venise.
Poly en Espagne.

Blyton (Enid) :
Série « Club des Cinq »

La boussole du Club des Cinq.
Le Club des Cinq.
Le Club des Cinq au bord de la
mer.
Le Club des Cinq et le coffre aux
merveilles.
Le Club des Cinq contre-attaque.
Le Club des Cinq se distingue.
Le Club des Cinq en embuscade.
Le Club des Cinq joue et gagne.

Le Club des Cinq et les papillons.
Le Club des Cinq en péril.
Le Club des Cinq en randonnée.
Le Club des Cinq en roulotte.
Le Club des Cinq et les saltim-
banques.
Les Cinq sont les plus forts.
Le Marquis appelle les Cinq.
Les Cinq au cap des tempêtes.
Les Cinq au bal des espions.
Le Club des Cinq aux sports
d'hiver.
Le Club des Cinq et le trésor de
l'île.
Le Club des Cinq va camper.
Le Club des Cinq en vacances.
Le Club des Cinq et le vieux puits.
Enlèvement au Club des Cinq.
La locomotive du Club des Cinq.

Série « Clan des Sept »

L'avion du Clan des Sept.
Bien joué, Clan des Sept!
Le carnaval du Clan des Sept.
Le cheval du Clan des Sept.
Le Clan des Sept et les bons-
hommes de neige.
Le Clan des Sept à la Grange aux
Loups.
Le Clan des Sept et l'homme de
paille.
Le Clan des Sept à la rescousse
Le Clan des Sept va au cirque.
Un exploit du Clan des Sept.
Le feu de joie du Clan des Sept.
La médaille du Clan des Sept.

---

* Certains des livres figurant à ce catalogue peuvent être momentanément épuisés.

Surprise au Clan des Sept.
Le téléscope du Clan des Sept.
Le violon du Clan des Sept.

Série « Mystère »

Le Mystère du carillon.
Le Mystère du chapeau pointu.
Le Mystère du chien savant.
Le Mystère de l'éléphant bleu.
Le Mystère du flambeau d'argent.
Le Mystère des gants verts.
Le Mystère de la grotte aux sirènes.
Le Mystère de l'île aux mouettes,
Le Mystère de l'île verte.
Le Mystère du message secret.
Le Mystère de Monsieur Personne.
Le Mystère du nid d'aigle.
Le Mystère de la péniche.
Le Mystère de la Roche percée.
Le Mystère des singes verts.
Le Mystère du vieux manoir.
Le Mystère des voisins terribles.
Le Mystère des voleurs volés.

Série « Oui-Oui »

*Une astuce de Oui-Oui.
*Bravo Oui-Oui!
*Oui-Oui et son âne.
*Oui-Oui et le cerf-volant.
*Oui-Oui champion.
*Oui-Oui chauffeur de taxi.
*Oui-Oui et le chien qui saute.
*Oui-Oui à la fête.
*Oui-Oui et le gendarme.
*Oui-Oui et la gomme magique.
*Oui-Oui et le lapinzé.
*Oui-Oui et le magicien.
*Oui-Oui marin.
*Oui-Oui part en voyage.
*Oui-Oui au Pays des jouets.
*Oui-Oui et le Père Noël.
*Oui-Oui à la plage.
*Oui-Oui va à l'école.
*Oui-Oui et le vélo-car.
*Oui-Oui veut faire fortune.
*Oui-Oui et la voiture jaune.
*Oui-Oui et son grelot.

Série « Famille Tant-Mieux »

*La Famille Tant-Mieux.
*La Famille Tant-Mieux en Amérique.
*La Famille Tant-Mieux à la campagne.
*La Famille Tant-Mieux en croisière.
*La Famille Tant-Mieux en péniche.
*La Famille Tant-Mieux prend des vacances.

Série « Belles Histoires »

*Bonjour, les amis!
*Deux enfants dans un sapin.
*Fido chien de berger.
*Histoires du bout du banc.
*Histoires du coin du feu.
*Histoires du fauteuil à bascule.
*Histoires de la lune bleue.
*Histoires de la pipe en terre.
*Histoires des quatre saisons.
*Histoires de la vieille horloge.

Série « Jojo-Lapin »

*Les aventures de Jojo Lapin.
*Jojo Lapin fait des farces
*Jojo Lapin chez Maître Renard
*Jojo Lapin, roi des malins.
*Jojo Lapin va au marché.
*Jojo Lapin va à la pêche.

Série « Boum »

*Boum le petit tambour
*Boum, sa grosse caisse et son petit chien.

Série « Malory School »

Les filles de Malory School.
Sauvetage à Malory School.
Un cheval à Malory School.

Bonzon (Paul-Jacques)

Série « La Famille H.L.M. »

Le bateau fantôme.
Un cheval sur un volcan.
Les étranges locataires.
L'homme à la valise jaune.
Luisa contre-attaque.
Le marchand de coquillages.
Où est passé l'âne Tulipe ?
Le perroquet et son trésor.
Quatre chats et le diable.
Rue des Chats-sans-queue.
Le secret du lac rouge.
L'homme à la touterelle.
Le secret de la malle arrière.
Vol au cirque.

Braillard (Anne) :

Anne à la plage.
Anne en vacances.

Brisley (Joyce-L.) :

Les amis d'une toute petite fille.
*Les bonnes idées d'une toute petite fille.
*Les découvertes d'une toute petite fille.
L'histoire d'une toute petite fille.
Nouvelles histoires d'une toute petite fille.

La maison d'une toute petite fille.
*Les surprises d'une toute petite fille.

Carrière (Huguette)
Tony et l'énigme de la Zimbollina.
Tony et l'homme invisible.
Tony et le masque aux yeux verts
Tony et le garçon de l'autre planète.

Chapman (Elizabeth).
*Zéphyrin le petit camion.

Chaulet (Georges) :
Les exploits de Fantômette.
Fantômette et le brigand.
Fantômette au carnaval.
Fantômette et la dent du diable.
Fantômette contre Fantômette.
Fantômette contre le géant.
Fantômette contre le hibou.
Fantômette et l'île de la Sorcière.
Fantômette et la lampe merveilleuse.
Fantômette et la maison hantée.
Fantômette à la mer de sable.
Fantômette et son prince.
Fantômette chez le roi.
Fantômette et la télévision.
Fantômette et le trésor du pharaon.
Opération Fantômette.
Pas de vacances pour Fantômette.
Les sept Fantômettes.
Fantômette dans le piège.
Fantômette viendra ce soir.
Fantômette contre la main jaune.

*Le Petit Lion dans la tempête.
*Le Petit Lion tourne un grand film.

Danot (Serge) :
*Les malheurs de Pollux.
*Les mémoires de Pollux.
*Pollux, héros national.
*Pollux et le sapin de Noël.
*Pollux secours.
*Pollux et le chat bleu.
*Pollux docteur.

Daudet (Alphonse) :
*La chèvre de Monsieur Seguin.

Denneborg (Maria)
Grisella le petit âne.

Disney (Walt) :
Blanche-Neige et les Sept Nains.
Cendrillon.
Les 101 Dalmatiens.
Dumbo l'éléphant volant.
Les aventures de Mary Poppins.

Les aventures de Peter Pan.
La belle au bois dormant.
Expédition Picsou
Les Aristochats.
La cane aux œufs d'or.
La Belle et le clochard.
Pinocchio.
Donald cherche fortune.
*Mickey chevalier.
*Mickey et les mille diamants.
L'apprentie sorcière.

Fischer (Marie-Louise) :
Laura, l'Indienne blanche.
Laura et le fils du grand chef.
L'impossible Isabelle.

Guillot (René) :

Série « Petit chien »

*Le Noël d'un petit chien.
*Un petit chien et ses copains.
*Un petit chien chez les lions.
*Un petit chien chez les lutins.
*Un petit chien au zoo.

Hill (Tom) :
Davy Crockett et son ami Wata.
Davy Crockett et les brigands.
Davy Crockett au Capitole.
Davy Crockett cow-boy.
Davy Crockett dans la forêt sauvage.
Davy Crockett et le Loup Rouge.
Davy Crockett et les Peaux-Rouges.
Davy Crockett rentre chez lui.
Davy Crockett sur le sentier de la guerre.
Davy Crockett shérif.
Le mariage de Davy Crockett.
Les premiers exploits de Davy Crockett.

Joyeux (Odette) :
Le trésor des Hollandais.
Le journal de Delphine.

Kastner (Erich) :
Émile et les détectives.

Laydu (Claude) :
*Nounours acrobate.
*Nounours millionnaire.
*Nounours navigateur.
*Nounours au pôle Nord.
*Nounours en vacances.
*Nounours pilote de course.
*Nounours général.

Lélio :
*Caroline chez Monsieur Belazur.
*Caroline et le perroquet.